КРАСНАЯ ШАПОЧКА

Художник Игорь Приходкин

Давным-давно в одной деревне жила-была маленькая девочка.

Подарила ей бабушка ко дню рождения красную шапочку. И до того подарок пришёлся девочке по душе, что с тех пор она всюду ходила в этой обновке. Соседи так и прозвали её – Красная Шапочка.

Как-то раз напекла мама пирожков и сказала:

– Сходи, доченька, проведай бабушку да отнеси ей пирожки и горшочек масла.

А дом бабушки стоял на опушке леса.

Идёт Красная Шапочка по лесу, цветы собирае а навстречу ей серый волк:

– Куда ты идёшь, Красная Шапочка?

А девочка не знала, что с волками разговариват опасно, и вежливо ответила:

– Иду к бабушке, несу пирожки и горшочек масла

– А где живёт твоя бабушка? – спросил волк.

– В домике на опушке леса, – ответила Красная Шапочка и не торопясь пошла дальше.

А волк во весь дух помчался к домику бабушки самой короткой дорогой. Прибежал, отдышался и постучал в дверь.

– Кто там? – спросила бабушка.

– Это я, Красная Шапочка, пришла, пирожки принесла, – тоненьким голоском ответил волк.

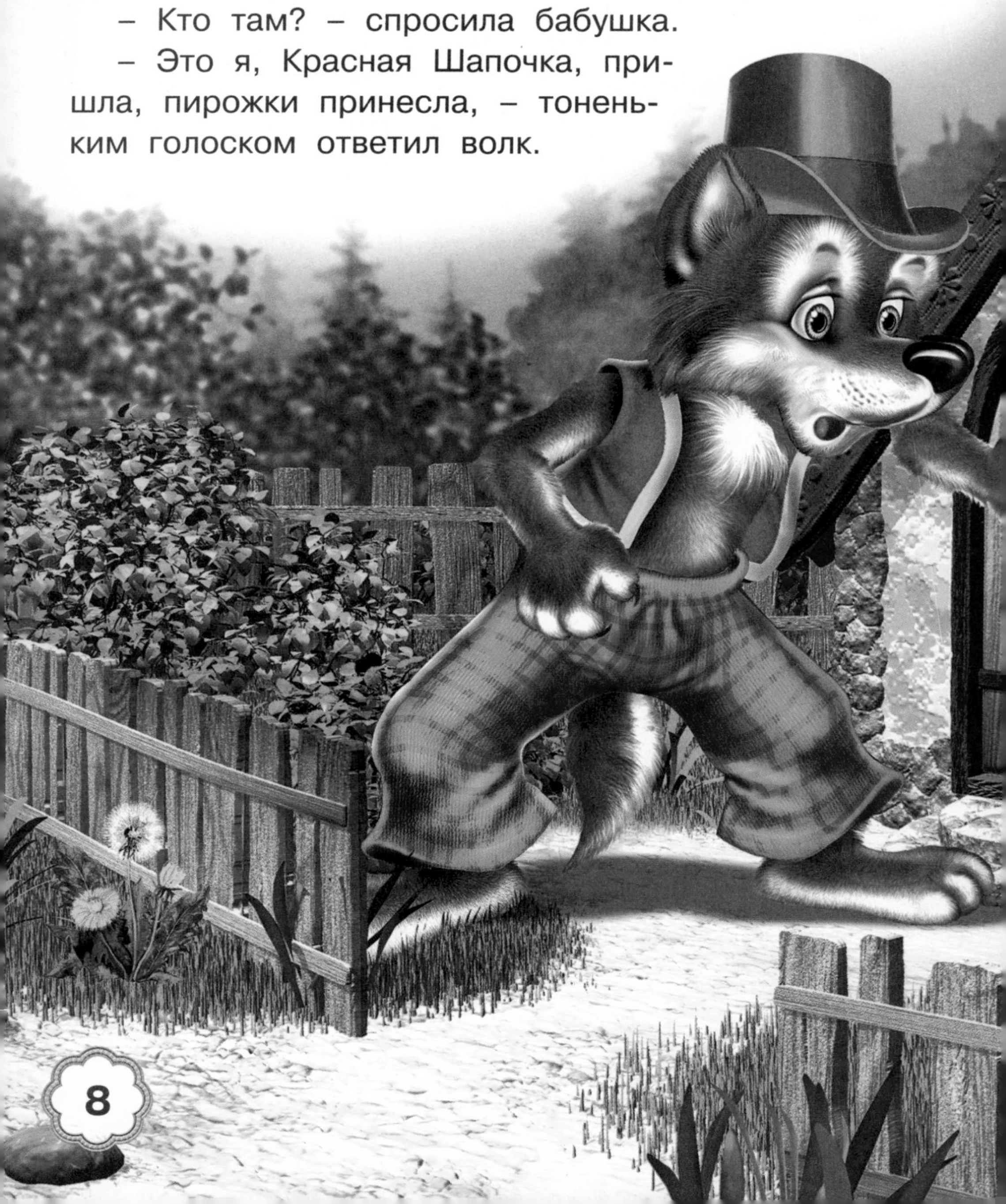

Бабушка решила, что это и в самом деле Красная Шапочка, и сказала:

– Дёрни за верёвочку, внученька, дверь и откроется.

Волк дёрнул за верёвочку – дверь и открылась.
Ворвался голодный волк в домик и проглотил бабушку. Потом надел её одежду, улёгся в кровать и стал поджидать Красную Шапочку.

Вскоре она постучала в дверь.

– Кто там? – спросил волк хриплым голосом.

Красная Шапочка подумала, что бабушка охрипла от простуды, и ответила:

– Это я, Красная Шапочка, принесла тебе пирожки и горшочек масла.

– Дёрни за верёвочку, внученька, дверь и откроется.

Вошла Красная Шапочка в дом и села возле постели бабушки.

– Бабушка, а почему у тебя такие большие уши?

– Чтобы лучше тебя слышать, моя милая.

– Бабушка, а почему у тебя такие большие глаза?

– Чтобы лучше тебя видеть, внученька.

– Бабушка, а почему у тебя такие большие зубы?

– Чтобы скорее съесть тебя! – рявкнул волк.

Бросился волк на девочку и проглотил её – прямо с башмачками и красной шапочкой.

К счастью, в это самое время мимо домика бабушки проходили охотники. Услыхали они шум, вбежали в домик, убили волка, распороли ему брюхо, и оттуда выскочили Красная Шапочка и бабушка – обе целые и невредимые.

БЕЛОСНЕЖКА

Жил-был король, и была у него дочь – Белоснежка. Жена его умерла, и вскоре он женился второй раз. Королева оказалась женщиной очень злой и надменной. Целыми днями она смотрелась в волшебное зеркальце: оно говорило, что никого прекраснее её на свете нет.

А Белоснежка тем временем подрастала и хороше-ла день ото дня.

И вот однажды королева посмотрелась в зеркальце и вдруг услышала: «Ты прекрасна, но Белоснежка ещё прекраснее!»

Королева позеленела от злости. Она позвала своего слугу и велела ему отвести Белоснежку в лес и там её убить.

Слуга привёл девочку в лес, но пожалел её и отпустил, наказав никогда не возвращаться в замок.

Долго шла Белоснежка по лесу, пока не увидела маленький домик. Девочка постучала, но ей никто не ответил. Она так устала с дороги, что вошла без спросу в дом, легла в кровать и заснула.

В домике жили семь гномов, и поздним вечером они вернулись домой.

Проснувшись утром и увидев гномов, Белоснежка очень испугалась, но они её успокоили: «Мы рады тебе, Белоснежка! Живи у нас сколько хочешь!»

И стала Белоснежка жить у гномов.

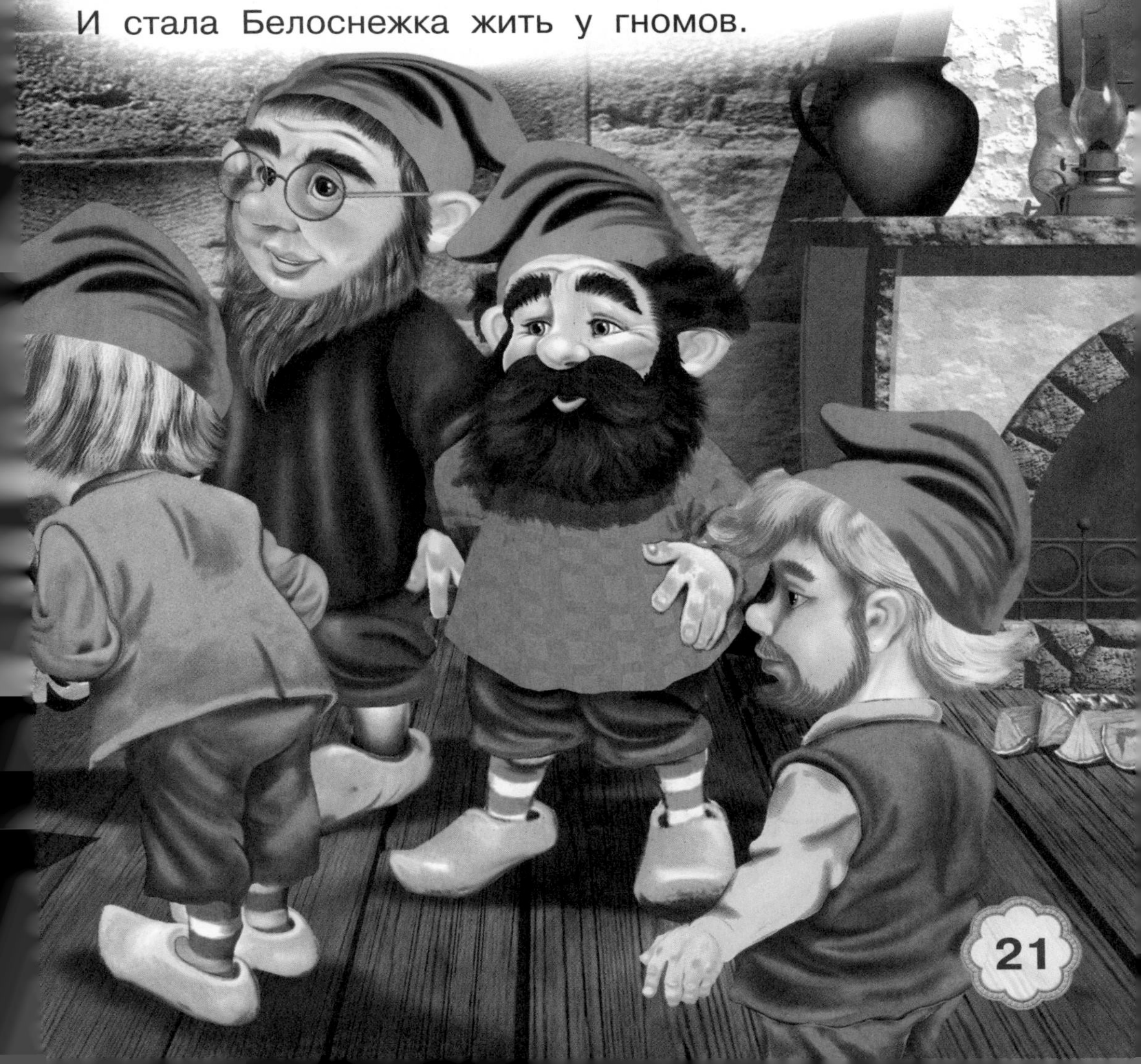

Однажды волшебное зеркальце рассказало королеве, что Белоснежка живёт в лесу у гномов и по-прежнему прекрасней всех на свете.

Королева разгневалась. Переодевшись старой нищенкой, она пошла в лес, разыскала до-мик, где жила Белоснежка, и угостила девочку отравленным яблоком: «Милое дитя, съешь это спелое яблоко, оно очень вкусное». Белоснежка надкусила его и упала на землю замертво.

Когда гномы вернулись домой, они увидели бедную Белоснежку. «Что с ней случилось?» – заплакали они.

По счастью, в это время мимо домика гномов проезжал принц. Он был так очарован красотой девушки, что не удержался и поцеловал её.

И вруг произошло чудо: Белоснежка ожила!

В тот же миг королева превратилась в старуху, и ей пришлось во всём сознаться королю.

Белоснежка вышла замуж за принца, и жили они вместе долго и счастливо.

БРЕМЕНСКИЕ МУЗЫКАНТЫ

Давным-давно жил на свете мельник, и был у него осёл. Осёл работал на мельнице – таскал на спине мешки с мукой. Когда он состарился, хозяин выгнал его из дома.

«Я стал стар и слаб, – подумал осёл. – Куда же я пойду?» И решил он пойти в город Бремен и стать уличным музыкантом.

По дороге осёл встретил несчастную бездомную собаку и предложил ей отправиться в Бремен вместе. Собака охотно согласилась.

Немного погодя к ним присоединился бродячий кот, который уже давно разучился ловить мышей, так как был очень стар.

Шли они, шли, вдруг видят: во дворе дома на воротах сидит петух и кричит «Ку-ка-ре-ку!», а у самого слёзы из глаз катятся.

– Что с тобой, петушок? – спрашивают осёл, собака и кот.

– Пожалейте меня, – говорит петух. – Завтра к моим хозяевам приедут гости, вот и задумали они суп из меня сварить. Что мне делать, не знаю.

Осёл говорит:

– Мы идём в город Бремен, хотим стать уличными музыкантами. Пойдём с нами!

И стало наших друзей четверо. Путь был долгий, и ночь застала их в густом, страшном лесу. Вскоре они заметили среди деревьев мерцающий огонёк. Немного погодя друзья вышли на поляну и увидели дом, в котором светилось окошко. Не долго думая, осёл приподнялся и поставил передние ноги на подоконник, собака запрыгнула ему на спину, кот вскарабкался на собаку, а петух взлетел и сел на кота. И все четверо заглянули в окно.

Они увидели разбойников, которые сидели за столом, ели и пили. Тут осёл закричал по-ослиному, собака залаяла, кот замяукал, а петух закукарекал – и все ввалились через окно в комнату.

Разбойники испугались и убежали в лес.

Осёл, собака, кот и петух сели за стол – наелись, напились и спать легли.

А разбойники сидят в лесу и смотрят на свой дом. Видят: огонь в окошке погас. Послали они одного разбойника посмотреть, что в доме делается.

Зашёл разбойник в дом, видит: на печи два огонька горят. Он подумал, что это тлеющие угли, ткнул в огонёк лучинкой, а это был кошачий глаз. Рассердился кот, вскочил – да как цапнет разбойника! Разбойник бросился к двери – тут его собака за ногу схватила, осёл копытом лягнул,
а петух как закричит: «Ку-ка-ре-ку!»

Прибежал разбойник к своим товарищам в лес и говорит:

– Беда! Поселились в нашем доме страшные великаны! Один мне в нос вцепился, другой ногу порезал, третий по спине дубиной огрел, а четвёртый закричал: «Держи вора!»

Разбойники испугались и убежали из этого леса, а осёл, собака, кот и петух остались жить в их доме.

МАЛЬЧИК-С-ПАЛЬЧИК

Было у дровосека пятеро сыновей. Самого младшего из них звали Мальчик-с-пальчик. Хоть и не выдался он ростом, зато был самым рассудительным и спокойным среди братьев.

Однажды пошли дети за хворостом в лес. Мальчик-с-пальчик стал бросать за собой хлебные крошки, чтобы по ним найти дорогу домой. Но лесные птицы склевали крошки, и дети заблудились.

Было уже темно и очень страшно. Никто из братьев не знал, что делать. Один Мальчик-с-пальчик не растерялся: он влез на дерево и увидел вдалеке мерцающий свет.

– Пойдёмте за мной! – сказал Мальчик-с-пальчик испуганным братьям.

Вскоре усталые и голодные дети добрались до лесной избушки.

– Ах вы мои бедные! – воскликнула хозяйка избушки. – Вы, наверное, не знаете, что здесь живёт Людоед? Он вас всех съест!

– Будь что будет, – решил Мальчик-с-пальчик, – в лесу мы всё равно пропадём.

Хозяйка спрятала детей в доме, и они уснули. Не спал только Мальчик-с-пальчик.

Когда Людоед вернулся домой, он сразу почуял, что в доме кто-то есть.

– Ох, и славно я сегодня поужинаю! – сказал Людоед и пошёл в комнату, где спали дети.

Хорошо, что Мальчик-с-пальчик не спал и всё слышал. Он быстро разбудил своих братьев, и они друг за другом выскочили в окно и убежали в лес.

Людоед бросился за беглецами в погоню. У него были прекрасные сапоги-скороходы, поэтому он был уверен, что скоро догонит мальчиков.

Тем временем Мальчик-с-пальчик спрятал своих братьев в пещере, а сам притаился в траве и стал наблюдать за Людоедом.

Людоед, устав от бесполезных поисков, решил отдохнуть и прилёг рядом с убежищем мальчиков.

Дождавшись, когда Людоед захрапит, Мальчик-с-пальчик стянул с него волшебные сапоги, которые и привели ребят к родительскому дому.

Мальчик-с-пальчик благодаря необыкновенным сапогам-скороходам вскоре стал самым главным королевским гонцом. Он так хорошо исполнял самые срочные поручения короля, что был им щедро вознаграждён и смог помочь всем своим братьям.

ТРИ ПОРОСЁНКА

Жили-были три поросёнка, три брата. Звали их Ниф-Ниф, Нуф-Нуф и Наф-Наф.

Всё лето они играли, резвились и грелись на солнышке. Когда наступила осень, Наф-Наф предложил братьям построить дом и зимовать всем вместе под одной крышей. Но братьям было лень браться за работу. Тогда Наф-Наф решил строить себе дом сам.

Ленивые братья ещё долго бездельничали; когда же наступили настоящие холода, они взялись наконец за работу.

Ниф-Ниф решил построить себе дом из соломы, а Нуф-Нуф – из веток и тонких прутьев. Они так и сделали, и уже к вечеру их домики были готовы.

Братья были очень довольны, что им удалось так быстро справиться с этим делом, и решили пойти посмотреть, какой дом построил себе Наф-Наф.

Наф-Наф был занят постройкой уже несколько дней. Он натаскал камней, намесил глины и стал строить надёжный, тёплый каменный дом. Он сделал большую, тяжёлую дверь с засовом, чтобы волк из соседнего леса не смог к нему ворваться.

– Ой, посмотрите, как он боится волка! – развеселились братья. – Он боится, что его съедят! Да он просто трус!

Они хотели подразнить Наф-Нафа, но тот даже не обратил на них внимания.

Тогда Ниф-Ниф и Нуф-Нуф отправились гулят
в лес. Они так шумели и кричали, что разбудил
волка, который спал неподалёку.

Волк сразу же прибежал на то место, откуда доно
сились голоса маленьких глупых поросят.

Братья беззаботно шли по лесу, пели и весели
лись, как вдруг увидели настоящего волка! Ниф-Ни
и Нуф-Нуф задрожали от страха. Через мгновени
они опомнились и бросились наутёк!

Ниф-Ниф первый добежал до своего соломенного домика и захлопнул дверь перед самым носом волка.

– Сейчас же отопри дверь, а не то я так дуну, что весь твой дом разлетится! – прорычал волк.

– Нет, не отопру! – ответил перепуганный Ниф-Ниф.

Тогда волк набрал воздуху и принялся дуть. Он дунул один раз, второй, третий – солома разлетелась во все стороны, как будто на домик налетел ураган.

Ниф-Ниф взвизгнул и бросился бежать.

Вскоре он был уже у домика Нуф-Нуфа. Едва братья успели захлопнуть дверь, как услышали:

– Ну, теперь я съем вас обоих!

Однако волк очень устал и решил пойти на хитрость.

– Я передумал! – сказал он громко. – Я лучше пойду домой.

Ниф-Ниф и Нуф-Нуф обрадовались и перестали дрожать. Но волк и не думал уходить: он решил перехитрить поросят. Волк накинул на себя овечью шкуру, тихонько подкрался к дому и постучал.

Ниф-Ниф и Нуф-Нуф насторожились.

– Кто там? – спросили они.

– Это я, маленькая овечка! Пустите меня переночевать, – проговорил волк тонким голосом.

Поросята решили впустить овечку, но когда они открыли дверь, то увидели всё того же страшного волка.

Ниф-Ниф и Нуф-Нуф быстро захлопнули дверь.

Волк страшно рассердился, что ему не удалось обмануть поросят. Он сбросил овечью шкуру и принялся дуть что есть сил. Он дунул раз, второй, третий, четвёртый... Дом зашатался. Когда волк дунул в пятый раз, дом зашатался и развалился.

Поросята бросились бежать – они мчались к дому Наф-Нафа.

Наф-Наф впустил их в дом и быстро закрыл дверь на засов. Он сразу догадался, что за братьями гнался волк.

Едва Наф-Наф успел закрыть дверь, как кто-то постучал.

– Кто там? – спросил Наф-Наф.

– Сейчас же отопри! – грубо рявкнул волк.

– И не подумаю!

– Ах так! Ну, теперь я съем всех троих!

– Попробуй! – весело ответил Наф-Наф. Ему и его братьям нечего было бояться в надёжном каменном доме.

Волк стал дуть что было сил, но ни один камень так и не сдвинулся с места. Домик Наф-Нафа оказался настоящей крепостью!

Вдруг волк поднял голову и заметил большую трубу на крыше.

«Вот через эту трубу я и проберусь в дом!» – решил он.

Волк влез на крышу, забрался в трубу и осторожно стал спускаться по ней вниз.

В домике Наф-Нафа в очаге стоял котёл, в котором кипела вода. Как только на крышку котла стала сыпаться сажа, Наф-Наф догадался, в чём дело. Он бросился к котлу и снял с него крышку.

Волк угодил прямо в кипяток!

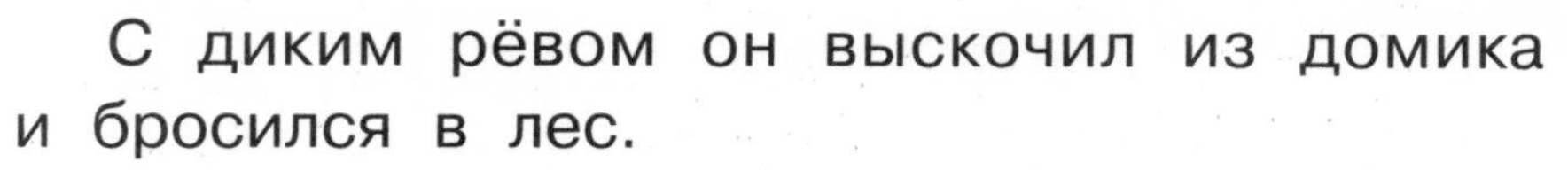

С диким рёвом он выскочил из домика и бросился в лес.

А Ниф-Ниф, Нуф-Нуф и Наф-Наф весело глядели ему вслед и радовались, что проучили разбойника.

С тех пор они дружно живут все вместе под одной крышей.

СОДЕРЖАНИЕ

Литературно-художественное издание
Серия «Пять сказок»

КРАСНАЯ ШАПОЧКА

Сказки

Для детей дошкольного возраста
Категория «0+» согласно Федеральному закону от 29.12.2010 г. № 436-ФЗ
«О защите детей от информации, причиняющей вред их здоровью и развитию».

Художник И. Н. ПРИХОДКИН

Подписано в печать 15.08.2018. Формат 70x90 1/16. Тираж 15 000 экз. Заказ № 5975.
ООО «Издательство «Фламинго», 2006. 127083, Москва, ул. Верхняя Масловка, 16.
Тел.: (495) 614-76-50, 614-76-42, 614-42-03. e-mail: flamingo@orc.ru
www.izdflamingo.ru
Отпечатано в филиале «Тверской полиграфический комбинат
детской литературы» ОАО «Издательство «Высшая школа».
170040, г. Тверь, проспект 50 лет Октября, д. 46.
Тел.: +7 (4822) 44-85-98. Факс: +7 (4822) 44-61-51.